Dipak świętuje Diwali
Deepak's Diwali

Divya Karwal

Illustrated by Doreen Lang

Polish translation by
Jolanta Starek-Corile

Mantra Lingua

Wieczorem przed świętem światła Diwali, Dadi opowiedziała Dipakowi historię boga Ramy i jego żony Sity. Dadi mówiła o demonicznym królu Rawanie i o tym, jak uprowadził on Sitę.

The night before Diwali, Dadi told Deepak the story of Rama, and his wife, Sita. Dadi described the demon king, Ravana, and how he stole Sita away.

– Rawan miał dziesięć głów i dwadzieścia błyskających oczu... – kontynuowała Dadi ściszonym głosem. Dipak skrył się pod kołdrą.

"Ravana, with his ten heads and twenty flashing eyes," Dadi continued, in a hushed voice. Deepak hid under the covers.

Przy śniadaniu Dipak nie przestawał myśleć o opowiadaniu babci.
– Przestań się martwić – powiedział tata. – Przecież wiesz, że Rama ze swoim przyjacielem Hanumanem, małpim królem, w końcu pobili Rawana.

At breakfast, Deepak couldn't stop thinking about the story.
"Stop worrying, Deepak," said Dad. "You know Rama and his friend Hanuman, the monkey warrior, beat Ravana in the end."

Dipak poczuł się lepiej, ale tylko do chwili kiedy tata oznajmił, że nie udało mu się kupić zimnych ogni na zabawę, która miała się odbyć wieczorem. Zimne ognie były jego ulubioną atrakcją Diwali.

Deepak felt a bit better, until Dad told him that he hadn't been able to buy any sparklers for the party that evening. Sparklers were Deepak's favourite part of Diwali.

– Dipak, co się stało? – spytał Tim, jego najlepszy przyjaciel w drodze do szkoły.
– To najgorsze Diwali na świecie – westchnął Dipak. – Tata nie kupił zimnych ogni, światła choinkowe nie działają, a co gorsza, – mówił szeptem – Rawan, demoniczny król, chyba mnie śledzi.

"What's wrong Deepak?" asked his best friend, Tim, on the way to school.
"It's the worst Diwali *ever*," Deepak sighed. "Dad couldn't get any sparklers, the fairy lights aren't working and, even worse," he whispered, "I think Ravana, the demon king, is after me."

– To nie jest śmieszne – dodał Dipak, podczas gdy Tim starał się zachować powagę. – On tam stoi.
Ale kiedy obydwaj obejrzeli się za siebie, nikogo nie ujrzeli.
– Pospieszcie się chłopcy, bo się spóźnimy - powiedziała mama.

"It's not funny," said Deepak, as Tim tried to keep a straight face. "He's just there." But when they looked over their shoulders they couldn't see anything. "Come on boys, we'll be late," said Mum.

– Czy Rawan nadal cię śledzi? – zapytał Tim uśmiechając się.
– Nie widzę go – odpowiedział Dipak oglądając się za siebie. Tim był
przyzwyczajony do zwariowanych opowieści Dipaka, ale widział, jak
bardzo był tym zmartwiony. – Nie martw się Dipak, mamy dużo zimnych
ogni na rocznicę spisku prochowego, pożyczę ci kilka.

"Is Ravana still chasing you?" said Tim, smiling.
"I can't see him," said Deepak, looking over his shoulder.
Tim was used to Deepak's wild stories, but he could see he was upset. "Don't
worry Deepak, we've got lots of sparklers ready for Guy Fawkes Night, you can
borrow some if you like."

– Dzięki, Tim – powiedział Dipak. – Poproszę mamę, aby zrobiła ci najlepszy kostium na zabawę szkolną w tym roku. Ja przebieram się za pirata. Dipak był dumny z kostiumów, które szyła jego mama. – A ty za kogo się przebierzesz?
– Chyba za Robin Hooda – odrzekł Tim.

"Thanks, Tim," said Deepak. "I'll ask Mum to make you the best costume ever for the school party this year. I'm going as a pirate." Deepak was proud of his mum's costumes. "Who are you going to be?"
"I think I'll be Robin Hood," said Tim.

W drodze powrotnej do domu po Rawanie ślad zaginął. Dipak zdołał o nim zapomnieć, gdy uważnie stawiał kroki obok pięknie wymalowanych na progu kwiecistych wzorów Rangoli. Zrobił je razem z mamą dzień wcześniej, aby w ten sposób przywitać nadchodzących gości.

There was no sign of Ravana on Deepak's way home, and he had nearly forgotten about him as he stepped carefully over the beautiful Rangoli patterns on his doorstep. He and Mum had made them the night before to welcome the guests.

Na wycieraczce Dipak zobaczył trzy kolorowe koperty do niego
zaadresowane. Były to kartki Diwali od dziadka i babci, i kuzynów
przesłane aż z Indii.

On the doormat, Deepak found three colourful envelopes
addressed to him. They were Diwali cards from Nani and Nana and
his cousins, sent all the way from India.

Dipakowi ślinka nabiegła do ust, gdy poczuł smakowite zapachy unoszące się z kuchni. Były tam pierożki samosa i słodkie żółte kuleczki ladu, które Dipak lubił najbardziej.

– Cześć mamo, cześć tato – powiedział Dipak wyciągając rękę po kuleczkę ladu.

– Chwileczkę! – odrzekła mama. Nie możemy ich jeść. Najpierw wieczorem musimy ofiarować je bogom. Teraz możesz zjeść kanapkę.

The delicious smells coming from the kitchen made Deepak's mouth water. There were samosas and yellow sweet balls called ladoos, Deepak's favourite.

"Hi Mum, hi Dadi," said Deepak, as he reached for a ladoo.

"Hold on!" said Mum. "We can't eat these ladoos before we offer them to the gods this evening. Have a sandwich for now."

Dipak poprosił Tima, aby przyszedł wieczorem z tatą i wytłumaczył, jak należy obchodzić się ze sztucznymi ogniami.
– Może w tym roku dostaniesz więcej sztucznych ogni – powiedział tata znacząco mrugając do Dipaka. – A na dzisiejszy wieczór kupiliśmy nowe światełka. Może nie będzie już tak najgorzej.

Deepak asked if Tim and his dad could spend the evening with them and explained about the sparklers.
"You'll have extra sparklers this year," said Dad with a wink. "And we've got some new fairy lights for tonight."
Perhaps things wouldn't be so bad after all.

Dipak szybko przebrał się w tradycyjny strój Kurta-Paijama i pomógł mamie i babci przygotować lampy olejne. Na każdym parapecie i przy drzwiach wejściowych postawili po jednej lampie. Ale lampy gasły.

Deepak quickly changed into the traditional Kurta-Paijama, and helped Mum and Dadi prepare the oil lamps. They put one on every windowsill and at the front door. But the lamps kept blowing out.

– To Rawan – powiedział Dipak.
– To tylko wietrzna noc, Dipak – uspokajała mama. – Zostawimy otwarte drzwi i okna dla bogini Lakszmi, aby odganiała złe duchy, więc nie zamartwiaj się już więcej.

"It's Ravana!" said Deepak.
"It's just a windy night, Deepak," said Mum. "We'll leave the doors and windows open for goddess Lakshmi to keep bad spirits away, so no more worrying!"

Wkrótce nadszedł czas modlitwy. Mama zapaliła lampę przed obrazem Ramy, jego brata Lakszmana, Sity i Hanumana. Przygotowała papkę tika, mieszając specjalny czerwony proszek z kilkoma kroplami wody. Następnie na znak szczęścia ostrożnie naznaczyła tiką czerwone kółeczko na czole każdego z domowników.

Soon it was time to pray. Mum lit a lamp in front of a picture of Rama, his brother Lakshman, Sita, and Hanuman. She prepared the tika by mixing special red powder with a few drops of water. She then carefully put a tika on everyone's forehead for good luck.

Zgromadzeni członkowie rodziny złożyli w ofierze bogom kuleczki ladu.
Potem zaśpiewali modlitwę Arti, wychwalając Ramę i dziękując mu za
okazane każdemu z nich błogosławieństwo szczęścia i pokoju. Dipak nie
mógł się już powstrzymać i łapczywie zjadł jedno z pysznych słodyczy.

The family offered ladoos to the gods. Then they sang an Aarti praising Rama
and thanking him for blessing everyone with happiness and peace. Deepak
couldn't resist any more and gobbled down one of the delicious sweets.

– Zadzwońmy do Nani i Nana – zaproponował tata. – W Indiach jest już prawie północ, ale oni dzisiaj wyjątkowo nie położyli się jeszcze spać.

"Let's call Nani and Nana," suggested Dad. "It's nearly midnight in India but they're staying up especially."

– Szczęśliwego Diwali, babciu! Szczęśliwego Diwali, dziadku!
– Wzajemnie, Beta – odpowiedzieli dziadkowie, składając mu życzenia szczęścia w nadchodzącym roku. Dipak tęsknił za nimi, ale mama obiecała, że w grudniu pojadą w odwiedziny do Indii. Właśnie wtedy zadzwonił dzwonek.

"Happy Diwali, Nani! Happy Diwali, Nana!"
"And to you, Beta," his grandparents replied and they wished him happiness for the year ahead. Deepak missed them, but Mum promised that they would visit India in December.
Just then the doorbell rang.

– Szczęśliwego Diwali! – zawołała ciocia, wujek i kuzynka Tara, i wszyscy przywitali się w korytarzu. Ciocia przyniosła pudełeczko z kremowymi słodyczami, których koniuszek zawinięty był w srebrne pazłotko. Tim też przyszedł. Razem z tatą przynieśli torbę wypełnioną zimnymi ogniami. Dipak nie mógł się już doczekać, aby je zapalić.

"Happy Diwali!" said Aunty and Uncle and cousin Tara, and everyone hugged in the hall. Aunty brought a box of cream coloured sweets, shaped like diamonds with silver paper on top. Tim came too. He and his dad brought a bag full of sparklers. Deepak couldn't wait to set them crackling and fizzing.

Kolacja była wyśmienita. Było pełno curry z grochu włoskiego, białego sera, smażonego chleba, ryżu przyprawionego kminkiem, a na deser Halwa że palce lizać.

– Myślę, że Rawan zemści się dziś wieczorem – żartował Dipak. – Chyba wykradnie Tarę za to, że stracił Sitę.

– Niech tylko spróbuje – odgrażała się Tara.

– Dipak! Przestań straszyć swoją kuzynkę – powiedziała mama.

– Ale ja się wcale nie boję! – odrzekła Tara. – Odrąbałabym każdą z jego dziesięciu głów.

– Z Tarą Rawan nie miałby żadnych szans – zaśmiał się jej tata.

The meal was delicious, with platefuls of chickpea curry, paneer, fried puree bread, mounds of cumin rice and yummy halwa pudding. "I think Ravana is going to take his revenge tonight," Deepak teased. "I think he's going to steal Tara to make up for losing Sita."

"I'd like to see him try," said Tara fiercely. "Deepak! Stop trying to frighten your cousin," said Mum. "I'm not scared!" said Tara, "I'd chop all ten of his heads off." "I don't think he'd stand much of a chance against Tara," laughed her dad.

Po kolacji mama opowiedziała nam, dlaczego ludzie palą lampy
podczas Diwali. – Kiedy Rama i Hanuman wyrwali Sitę z rąk
Rawana, ludzie zapalili gliniane lampy zwane dipakami, aby
świętować zwycięstwo dobra nad złem.
– Więc moje imię oznacza święto – z dumą odrzekł Dipak.
– Tak, albo bryłę gliny – dodała Tara, rozśmieszając przy tym
Tima.
– Dzieci, pospieszcie się, już czas na zimne ognie – zawołał tata
z ogrodu.

After dinner, Mum explained why people light lamps at Diwali. "When Rama
and Hanuman rescued Sita from Ravana, the people burned clay lamps, called
deepaks, to celebrate the triumph of good over evil."
"So my name means celebration," said Deepak proudly.
"Yes, or just a lump of clay," said Tara, making Tim laugh.
"C'mon kids, it's time for sparklers!" Dad called from the garden.

Jak tylko zimne ognie zaczęły się palić i trzaskać, rozsiewając wkoło iskierki w ciemnościach, Dipak, Tim i Tara byli przekonani, że widzieli Hanumana walczącego z Rawanem.

As their sparklers sputtered and crackled in the dark, Deepak, Tim and Tara were sure they could see Hanuman fighting Ravana.

– Pokaż, co potrafisz, Hanuman – wszyscy zgodnie krzyczeli.
– Pomóżmy mu! – krzyknęła Tara i wszyscy zaczęli wywijać zimnymi
ogniami, walcząc z ciemnościami nocy.

"C'mon Hanuman!" they all yelled.
"Let's help!" cried Tara, as they twirled their sparklers, attacking the night.

Po bitwie, dla rozgrzewki zwycięzcy posilili się kuleczkami ladu
i słodyczami burfi, a wkrótce potem nadszedł czas, by iść do domu.
Dipak zapytał mamę, czy zrobiłaby dla Tima kostium Robin Hooda,
ale Tim kręcił głową.

After the battle, the victors had ladoos and burfis to warm themselves up,
and then it was time to go home. Deepak asked Mum if she would make a
Robin Hood costume for Tim, but Tim shook his head.

– Nie jestem pewien, czy chcę iść w przebraniu Robin Hooda – powiedział Tim.
– No cóż – odrzekła mama – Mogę uszyć ci taki kostium, jaki tylko zechcesz. Tylko powiedz mi, kim chciałbyś być.

"I'm not sure I want to be Robin Hood now," he said.
"Well Tim," said Mum, "I can make any costume you like. Just let me know who you want to be."

– Jestem Hanumanem, małpim królem! – powiedział Tim.
– A ja Ramą! – zaśmiał się Dipak.

"I'm Hanuman, the monkey warrior!" said Tim.
"And I am Rama!" laughed Deepak.

Glossary

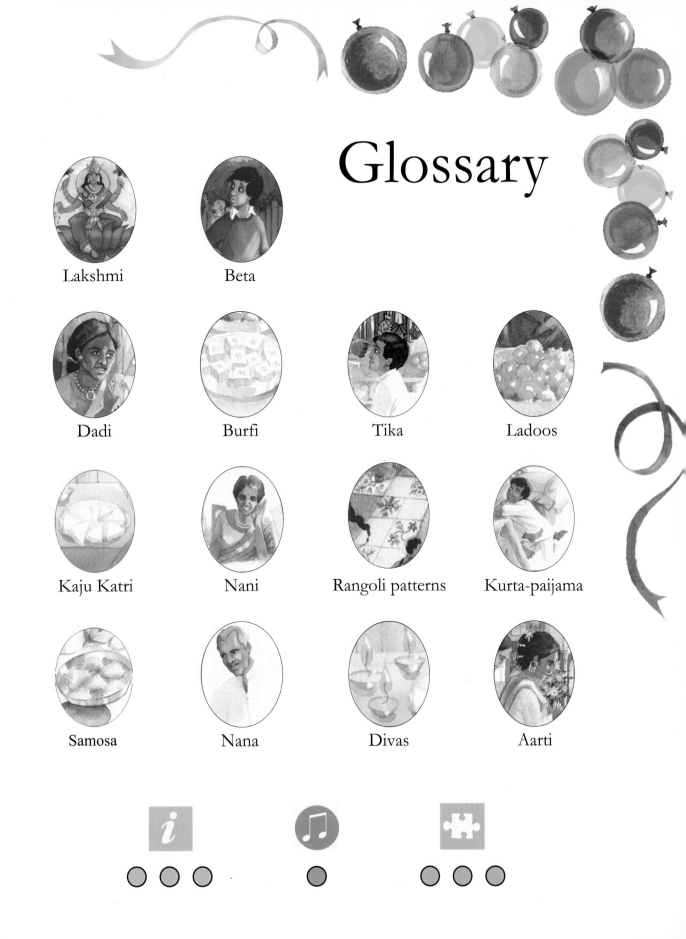

Lakshmi

Beta

Dadi

Burfi

Tika

Ladoos

Kaju Katri

Nani

Rangoli patterns

Kurta-paijama

Samosa

Nana

Divas

Aarti

Recipes

Mango Lassi

Ingredients
175ml yogurt
150ml milk
1 peeled chopped mango
1 tablespoon sugar
1 tablespoon honey
8 ice cubes
A little ground cardamom
or some chopped pistachio
nuts (if you like)

Method
1. Put all the ingredients in a blender and blend for two minutes or until smooth. If you don't have a blender you can use a whisk and add the ice later.
2. Strain through a sieve to remove any large ice chunks and big pieces of mango.
3. Pour into glasses and serve with a dusting of ground cardamom or pistachio nuts.

Halwa

Ingredients
100g sugar
200g water
2 tablespoons unsalted butter
300g carrots, grated
300ml full fat milk
½ tsp powdered cardamom
1 tablespoon of cashew nuts,
chopped finely

Method
1. Mix the sugar with double the quantity of water in a heavy saucepan and bring to the boil.
2. Reduce heat and cook until the syrup has thickened slightly. Take off the heat and set aside.
3. In the meantime, heat the butter in a heavy-bottomed saucepan and add the carrots, stirring occasionally to prevent them from sticking.

4. After 5 minutes add the sugary syrup and stir until blended.
5. Pour in the milk, reduce the heat and cook until the carrots are mushy, the milk has been soaked up, and the mixture has turned brown.
6. Take off the heat, mix in the cardamom, and serve warm, decorated with the nuts. Halwa is delicious served with plain yogurt or vanilla ice-cream.

Kheer

Ingredients   *Method*

Ladoos

Ingredients   *Method*

Story

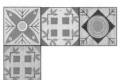

Rangoli Patterns

Here are some Rangoli patterns, like the ones that Deepak made for his house.
You can find some special grid paper on our website, *www.mantralingua.com*, so
that you can copy these or make your own patterns.